D0532632

M comme Muse

Du même auteur

Poèmes d'une cendre
2001, aux éditions Clapas

Quand l'invisible devient visible
Mars 2009, éditions Persée

Petit cœur cherche grand cœur
Juillet 2010, éditions Persée

Karine Geslain

M comme Muse

Publibook

Retrouvez notre catalogue sur le site des Éditions Publibook :

http://www.publibook.com

Éditions Publibook
14, rue des Volontaires
75015 PARIS – France
Tél. : +33 (0)1 53 69 65 55

IDDN.FR.010.0116420.000.R.P.2011.030.31500

Cet ouvrage a fait l'objet d'une première publication aux Éditions Publibook en 2011

Retrouvez l'auteur sur son site Internet :
http://www.kgpoesie.com ou sur Facebook

Je vous remercie de m'être fidèles et d'apprécier mon travail et vous souhaite une agréable lecture.

Amitiés à tous.

Remerciements

La Poésie n'est pas quelque chose de ringard ou de poussiéreux, bien au contraire.

Elle permet à l'âme humaine de s'élever jusqu'aux cieux et d'accéder à une certaine noblesse.

J'essaie, à mon modeste niveau, cher ami(e) lecteur, de vous refaire apprécier la Poésie en essayant de vous procurer du bonheur et de belles émotions avec mes écrits.

Si mon cœur

Si mon cœur est tout froid
Et sommeille en silence,
C'est qu'il ne bat que pour toi,
En toute éloquence.

Mon esprit au sang-froid
N'exprime qu'assurance,
Quand mon cœur maladroit
N'espère qu'allégeance.

C'est ainsi que se cachent
Souvent nos émotions
Qui s'orchestrent en panache
En toute diversion.

Une jolie jonquille

Une jolie jonquille,
De jaune vêtue,
Tous ses yeux écarquille
Pour une statue.
Dans son cœur qui scintille
D'amour courbatu,
Quelques pensées sautillent
Fugaces et têtues :
— Ô que j'aimerais,
Belle statue,
Te ressembler !
Tu as
La vie de l'ormaie,
De l'art la beauté,
D'un roc l'apprêté.
Regarde-moi plutôt :
Un souffle peut me briser !
Sans eau, je puis me faner !
Et un pied peut m'écraser !
— Peut-être, dit la statue,
Mais…
Tu sens le soleil !
Ton sang est vermeil,

Et tu aimes ton pareil.
Moi je suis condamnée
À être admirée
Sans aimer !
Ton sort n'est pas plus terrible
Que le mien…
N'est-ce pas ?

Comment se nomme ?

Comment se nomme le nuage
Où la pluie jadis tombait
Par-delà les cépages
Et les bosquets ?

Sur le luxuriant pâturage,
Toute seule j'attendais
Que le clos de mon grillage
Vienne à tomber.

Je rêvais sur le fil de l'âge :
Vivre libre et enfin en paix,
Sans plus jamais qu'aucun nuage
Menace ma sérénité !

Que me vaut ?

Que me vaut ton visage,
S'il m'est inconnu ?
Que me valent tes messages,
S'ils sont malvenus ?
Tu n'es que le bruitage
D'un mot sans venue,
Petit comme l'ombrage
D'un cyprès sans tenue.
Sur tout le nappage
De mes souvenirs
N'existe que le fluage
De tes soupirs.
Tu n'existes pas…
Pas pour moi…

Sur le théâtre en bois

Sur le théâtre en bois
De couleur petit pois,
Un doigt dans la tête,
Dans la chemisette,
Une marionnette
Jamais ne se prête.

Elle fait rire parfois
Quand elle guerroie,
Mais ses galipettes
De belle nymphette
Menue et fluette
Titillent les fossettes.

Si certains sont des rois
Quand ils jouent de sa voix,
Elle se moque à tue-tête
De leurs salopettes
En tenant la guinguette
Dans sa ch'tite mallette.

Et soudain quel exploit !
Un jour elle s'aperçoit

Que son pense-bête
Devient obsolète,
Et à l'aveuglette,
Elle part en charrette !

Quand on ouvre les yeux,
On devient plus heureux…

Apollon

Dans le bois de l'If
Se tailla mon arc.
Il est si attractif,
Qu'avec ce combatif,
Je suis un monarque.

En digne créatif
Qui sème la Parque,
Je suis admiratif
Et contemplatif
De mes muses d'énarque.

De Zeus le natif,
Je mène ma barque,
Dans les arts narratifs
Et les cieux abstractifs,
Grand chef des hiérarques.

Aux poètes et aux peintres,
Je sers de modèle
Et mes fines semelles
Dictent leurs cervelles.

Ces quelques mots pour toi,
Toi, des poètes, le Roi !

Un gentil bourdon

Un gentil bourdon,
Loin de sa maison,
Bzubzutait
En toute équité
À ma fenêtre,
Et le guéridon
En fleurs de saison
Agitait
Sa vue de déité,
Tel un grand maître.

Mais la baie, au cordon
En fine cloison,
Les séparait.
La transparence
De son cristal
N'avait d'égal
Que sa dure tance.
Alors tout chaviré,
On vit disparaître
Du périmètre
La petite bébête
Qui s'en alla,
Vers d'autres êtres…

Pourquoi le soleil ?

Pourquoi le soleil
Ce jour
Me paraît-il plus beau ?
Pourquoi le ciel
Ce jour
Brille en flambeau ?
Mon cœur de miel
Glamour
Joue du mambo
Au son vermeil,
Tambour
De mon turbo.

Est-ce le début
D'une belle histoire ?
Je ne sais…
Mais il me faut
Y croire !

Le libraire

Au milieu de ses livres
Un libraire élégant
Discourait savamment.
Chacun voulait le suivre.
Il était aussi grand
Qu'un immense gratte-ciel.
Sa chemise arc-en-ciel
Chatoyait en conquérant.
Il parla d'un copain
Se trouvant pas trop loin,
Et je dis en baragouin
Merci pour ce bulletin !

C'est ainsi que j'appris
Qu'il est bon d'avoir des amis.

Une cigogne

Une cigogne,
De son vol gracieux
Parfois se cogne
Aux nuages audacieux.

Elle se renfrogne
De son bec malicieux,
Et ferme sa trogne
En discours silencieux.

Elle cherchait sa moitié,
Planant d'un port altier.
Allait-elle la trouver
Parmi toutes ces couvées ?

Nul ne le sait…

Les rayons du soleil

Les rayons du soleil
Embrassent le miroir
De l'aube jusqu'au soir
Des fleurs du mimosa.

Ses charmes sont pareils
À l'or de l'encensoir
Parfumant de savoir
Les doux champs de colza.

Et mon sang en sommeil,
Pétri de ce terroir,
Emplit son réservoir
En cuvée de visa.

La chaleur de vermeil
Sur nos vies de mouchoirs,
Menues tel l'entonnoir,
Diminuent en balsa.

Aussi,
Profitons du semoir
Avant le pleuvoir.

Un éléphant

Un éléphant,
De toutes ses dents,
Cherchait puissamment
Des feuillages ardents.

Les mouvements
De sa trompe broutant
Caressaient l'onguent
De ses larmes d'antan.

D'un bain élégant
Il s'asperge tout lent,
La chaleur lui donnant
La douceur d'un enfant.

Et ses rêves tout blancs
Déambulent en flânant
Près de baies d'argent
Et de troncs odorants.

Mais parfois, jaillissant,
Un chasseur menaçant
Fait que cet innocent
S'enfuit en barrissant.

Pourquoi donc la quiétude
Jamais telle ne dure ?

Sur des échasses

Sur des échasses,
Un superbe flamant
Déplace
Son long cou vorace.

Les pieds dans l'étang,
De son bec loquace,
Ce charmant
Croque
Des vers fumants.

Son corps de mam'zelle
D'un rose profond
Cisèle
Le ciel bleu de Touselle.

Et ce beau gueuleton,
En faveur de zèle
Réchauffe
Tout d'aplomb
Le sablon marmiton.

Je regarde charmée
Ce tableau coloré,
Plein de vie parfumée,
Et j'écris, honorée,
D'un crayon adoré
Quelques vers clairsemés.

Malgré la distance

Malgré la distance
Séparant nos deux cœurs,
Nos bains de jouvence
Raffermissent nos pudeurs.
Nos deux existences,
Différentes en saveur,
Cherchent la constance
Avec la candeur
De jeunes sœurs.
J'aime la prestance
Et la grande douceur
De la pieuse excellence
De nos esprits blagueurs,
Épaulant l'existence
Avec toute la chaleur
De leurs innocences
Et de leurs ardeurs
De jeunes sœurs.

Nous nous soutenons
Pour guise de chevron.

Un joli bouton d'or

Un joli bouton d'or,
En chemin sur le bord,
Côtoyait l'apparat
D'un charmant magnolia.

Murmurant des encor'
Sur leur beau mirador
S'embrassait l'angora
Des pétales fuchsia.

Sur le cil des accords
De ces piquants seniors,
La teinte des sierras
Berce leur opuntia.

Sans prêter attention,
On marche en bastion,
Mais moi j'aime regarder
Leur amour irisé…

La couleur violette

La couleur violette
Pour guise de symbole
Sers la gouttelette
De l'acropole.

En parfum, ou sucette,
Ou alors en systole,
On connaît l'étiquette
De la coupole.

Pourtant en facette,
Sa couleur frivole
Peut montrer des tempêtes
Qu'on ne dit en parole.

Quelle drôle de couleur
Pour la ville des fleurs !

Une puce

Une puce
Sautillait gaiement
Sous un arbuste
Odorant.

Son astuce
Charmait le diamant
Des plus illustres
Aspirants.

Le capuce
De son caban
Cachait des rustres
Discourant.

Elle attirait
Les regards
Dans le marais
Des hagards…

Indécise
Elle vaquait
À ses affaires
Vaillamment,

Sous la bise
Qui soufflait
En linéaire
Ardemment.

Insoumise,
Elle espérait
Qu'un compère
Pour un moment
Comprenne
Son cœur d'argent.

Sous le fleuret
De ces égards
Le cabaret
Sert de valoir.

Mais quand l'amour
S'impose,
Alors le cœur
Explose…

Dans un bénitier

Dans un bénitier
Haut en couleur,
Une perle se cachait
Riche en saveur.

Sur le canotier
Ensorceleur,
Mes habits tout brochés
Attendaient mon labeur.

La mer au bustier
Tout cajoleur
Entourait le déhanché
De palmes en fleurs.

Les récifs tulipiers
Bien enrouleurs
Émerveillent de clichés
Mes yeux ciseleurs.

C'est la chasse aux trésors,
Masquée aux pléthores.

Le buisson ardent

Le buisson ardent de chèvrefeuille
Abritait de charmants petits marmots
Allant et venant en quintefeuille
Sous la houlette d'un beau guillemot.
Innocents, ils jouaient dans ce cercle
Sans penser à ce qui peut advenir.
Le danger peut tomber sans prévenir,
Quand tout transparent il nous encercle.
C'est pourquoi il faut toujours prémunir
Avant que devoir après coup guérir…

De ses petites pattes

De ses petites pattes,
Une jolie taupe
Creusait des strates,
Puis prit son périscope
Pour guetter une blatte.

En chantant la sonate,
Et bien qu'elle soit myope,
Cueillant des aromates,
Dans une chope
Elle préparait sa rate.

Que la vie était belle !
Elle mangeait sans querelle.

Pourtant toutes ses mottes
Dérangeaient la savate
D'un paysan marmotte,
Qui devint écarlate
De colère sotte.

Dans son coin, il mijote
Des plans disparates
Pour filer les chocottes
Ou faire la cravate
À ce vilain hôte.

Allait-il arriver
À s'en débarrasser ?

Il écrasa ces mottes,
Prit du poison en flotte,
Tendit des pièges d'azote,
Mais elle vivait pâlotte…
Alors,
Il prit son fusil hors côte
Et attendit… attendit…
Jusqu'à ce qu'elle sanglote.

Qu'il est dur de vivre en paix
Dans ce monde épais !

Sous le charme

Sous le charme,
Des petites feuilles bruissaient,
Dont l'alarme
De leur petit cœur chantait.

Sans une larme,
Un ravissant ver paraissait
Sous le vacarme
De la belle Voie lactée.

Dans un espoir,
Il regardait les étoiles,
Sous l'air du soir
Pour partir à la voile.

Et le comptoir
Des herbes, en fond de toile,
Hissait son vouloir
De toucher leur ivoire.

Quand le rêve
Touche le réel,
Tel un orfèvre,
Le cœur se pareille.

Le feston de l'aubépine

Le feston de l'aubépine
Se parait dans tes yeux,
Quand toute taquine
Nous conversions deux à deux.
Le parfum des épines
Et des boutons laiteux
Annonçait mâtines,
Le printemps délicieux.
Quand le cœur dessine
De grands bonds malicieux,
Tes feuilles de platine
Le rassurent, silencieux.

Tu es tel le printemps
Aux atours méritants.

Une cerise sur l'oreille

Une cerise sur l'oreille
Pour guise de merveille.
Une fraise dans le sucre,
Dans ma bouche de lucre.
Des abricots dans mon royaume
Piquent mon nez d'arômes.
Une pomme sous mes yeux,
Qui touche au merveilleux.
Dans mes mains rougissantes,
Des framboises d'infantes.

Sur l'osier de ma corbeille,
Se présentent ces fruits joyeux,
Dont les couleurs vermeilles
Et les parfums soyeux
Me rappellent
Nos moments heureux !

Sous le piquant du cactus

Sous le piquant du cactus,
Mon doux cœur s'appareillait.
Comme les fleurs, mordicus,
Reste seul en pointillé

Il résiste en motus
À toutes les tortillées,
Et préfère l'oribus
Qu'être mal émaillé.

En des bouts de corpus
De mescaline vanillée,
Je peux plaire en opus
Et même faire vaciller ! ;-)

Un drôle de crocodile

Un drôle de crocodile
Aux écailles assassines,
Sans cesse, horripile
Madame langoustine.
De ses airs malhabiles,
Et cachant ses dentines,
Il s'approche immobile
Pour croquer sa copine :
— Hey, bonjour mon amie !
Le temps est d'accalmie,
N'est-ce pas ?
Mais dame langoustine,
Loin d'être infantile,
De joie se ratatine
Dans son abri aquatile :
— Je ne sais, monseigneur
Ici n'est pas ailleurs !
— Ne venez-vous pas voir
Par vous-même l'air du soir ?
— Que nenni !
Répondit la bénie.
— Et pourquoi ?
Dit le narquois.

Alors la petite lutine
Eut une idée subtile :
— J'attends dans mon logis
Une amie si élargie
Que je ne sais la recevoir.
— Oh, oh ! se dit le coquin
En se frottant les mains.
— Et elle vient quand ?
S'enquit le manant.
— Par l'autre bout du champ,
Maintenant !
Aussitôt dit, aussitôt fait,
Vers un meilleur buffet
Il déguerpit…
Seule la maligne sait
Qu'attendra bien longtemps
Ce mécréant.
Et elle s'enfuit
Pour se cacher
En une autre nichée…

Moralité :
    Les plus petits
    Sont d'un cerveau
    Parfois mieux lotis…

Que suis-je pour toi ?

Ne suis-je pour toi qu'un pigeon
Dont on se moque doucement,
Quand il chemine lentement
Pour quémander quelques bourgeons ?

Sous le chignon de ton donjon
Se reflètent des murs charmants
Où se mêlent les boniments
Dont j'ajuste les haubergeons.

Comparé au vibrant aiglon
Qui tutoie les cieux hardiment,
Moi, je marche communément
N'inspectant que des pantalons.

Pourtant, je vis plus près de toi,
Et jamais, toi tu ne me vois.
Mais je me fais fort bon aloi
De suivre chacun de tes pas…

Un sourire

Un sourire ne coûte rien.
Aux doux cœurs illuminés,
Il se donne pour tout bien
Sur un air spontané.

Il peut être collégien,
Ou encore destiné
À charmer les draconiens
Sur un plat gratiné.

Pourtant sans ce cornélien,
On ne peut imaginer
En un jour shakespearien
Donner tout en satiné.

Une gazelle

Une gazelle,
Aussi charmante
Que belle,
Fréquente
Les steppes.

Elle martèle
Toute pimpante
L'ombrelle
Rampante
Dont le sol
Se crêpe.

Ses sabots frêles,
À l'affût campent
Et excellent,
Battante
À la fuite
Dantesque.

Fragile, mais fière,
Souvent elle flaire,
Mais sait se soustraire
Aux menaces grossières…

Aussi pétillante

Aussi pétillante
Qu'un beau canari,
Tes paroles éclatantes
Refusent de tomber dans l'oubli.

Quand toute chantante,
Ton accent de prairie
Remonte les pentes
Des esprits absorbés
De féerie,

Tu deviens épatante
En badauderie,
Et toute voletante,
Emporte en nuées
Les égéries.

Qu'il fait bon écouter
Ton doux son chanté !

Un jardinier

Un jardinier,
Aussi couillon que laid,
Utilisait des haies
Pour mieux courtiser.

Il construisit un passage
Au sein de marécage
En peignant les faîtages
D'une ignorance sauvage.

Il se prend pour un peintre,
Mais devrait se pinter,
Tellement son étreinte
Fait s'enfuir la gaieté !

Il ne sert à rien

Il ne sert à rien
De dompter la Nature,
La tenir comme un chien !
Pour toutes cadratures,
Se rebelle le Bien
De cette imposture,
Du tyran régalien
Et de sa dictature.

Elle reste la reine,
En chassant ses peines,
Et fleurit sans haine
Sous l'ombre de mécènes.

Bientôt les vacances

Bientôt les vacances !
Le paradis en partance !
Et voguent, voguent
Les heures amères
Vers un bonheur
Éphémère.

Bientôt l'assurance,
La liberté pour alliance !
Et vogue, vogue
Ma page d'aiguière
En or d'ardeur
Amphotère.

Enfin l'abondance
Pour mes écrits d'accointance,
Et voguent, voguent
Fumets mystères,
Mes poèmes au cœur
D'acrotères.

Du temps pour l'écriture,
Que du bonheur d'aventure !

Petite fille

Le soleil brille
Petite fille,
Et qu'il fait chaud,
Nom d'un réchaud !

J'aime la charmille.
De belles flottilles,
En un sursaut
S'en vont très haut.

Le ciel scintille,
Petite fille,
Si grand et beau
Comme tes yeux d'eau…

Les doux rires

Les doux rires
D'une mère et son enfant,
Pour un empire
Ne changeraient ces moments.
Leur grand salon
S'égayait de ces notes
Et leurs doux fronts
S'illuminaient de bécotes.
Puis soudain,
Par la fenêtre,
Un bébé serin
Entra… Et son petit être
Contre les murs
Ajusta ses guêtres.
D'un sourire,
Fasciné, le bel enfant
En point de mire
Saisit l'oiseau doucement.
Ses doux yeux oblongs
Supplient et sanglotent
Pour devenir le chaperon
De ce nouveau pote.
D'un ton souverain

La maman
Refusa de permettre
Les souhaits de son galopin,
Et pour son bien-être
Relâcha le petit lutin
Par la fenêtre…

Ainsi, comme cet oiseau,
Un jour de tes ailes
Tu t'envoleras,
Pendant que mon cœur lourdaud
Sans cesse se rappelle
Ta jeunesse d'apparat…

Un p'tit têtard

Un p'tit têtard,
À la bougne bien ronde,
Disait des racontars
À une fausse blonde.
De son regard
Il raconte la fronde
Faite par un vieux briscard
À son cœur de Joconde.
Tout furibard,
Il s'énerve sur l'onde
Recherchant les égards
De la douce osmonde.
Mais il repart
Sans qu'elle lui réponde,
Car les grands beaux bobards
N'intéresse pas une seconde…

Moralité :
   Mieux vaut être sincère
   Que de chercher à plaire !

Un tendre écureuil

Un tendre écureuil,
Non loin de son fauteuil,
Cherchait du cerfeuil
Pour guise de bourgueil.

Ses grands yeux grisette,
Lassés des noisettes,
En crasse de boulettes
Travaillaient sans fête.

Comme Sisyphe,
Sans cesse il œuvrait,
Mais jamais ne voyait
La fin de son rocher.

Il n'est pire passe-temps
Que de travailler en vain
Tout le temps !

Caesalpinia

Tu sais résister
Aux morsures du froid
En sachant éviter
La blessure de tes doigts.

La chaude acuité
De ta teinte, en surcroît,
Fait toujours graviter
Des nectars de bons rois.

Au parfum fruité
De tes fleurs qui ondoient
Se joint la gracilité
De tes doux mets de choix.

Comme ce bel arbuste
Sous le ciel, tu flamboies,
Et de ton grand beau buste
Tu me mires en tournoi.

Jouer à la peluche

Jouer à la peluche
Avec toi,
C'est être la coqueluche
De grands rois.

La magie de l'instant
Éclipse
Le quotidien éreintant
En ellipses.

Jouer à la poupée,
Quelle joie !
S'inventer des épopées,
Quelquefois.

Oublier les douleurs
Du passé
Et saisir le bonheur
Par brassée.

Fugaces moments,
Tout charmants,
À ne pas oublier,
Joliment.

Une douce buée

Une douce buée
Dans tes yeux
Apparaît par nuée
Pour nous deux.
Tout un chagrin
Transmué
Dans l'eau diluée
Des muqueux.

J'essaie d'atténuer
Ta douleur
En séchant par ruées
Tes grands pleurs,
De câlins distribués
En des mots d'affilée
Chuchoteurs.

Tout un mois sans se voir,
Ça sera dur.
Nous remplirons nos mouchoirs
Mais pour sûr,
Nous nous verrons… un doux soir…

Les racines

Comme un arbre sans vie,
Je ne sais où planter
Mes racines meurtries
Dans le champ du comté.

D'un signe irréfléchi,
Je pris déculottée
Par mon amie rosie
Me chassant un été.

Qu'ai-je donc ? Quel gâchis !
Pour tout l'or tourmenté
Et rentrer au parvis
Sous les rires tintés.

On repart à l'envi
D'un zéro éhonté,
En pardon d'amnésie
Sous les cris de bonté.

D'un soupir
Je demande :
Mon pardon,
Vaut-il
L'affliction ?

La nuit tombe

La nuit tombe sur la ville,
Éteignant une à une
Les étoiles, petit à petit.

J'attends celui qui distille,
Sur tes yeux clos en dune,
Le doux sable exquis.

Il se fait si tard, ma fille.
Que sur la tribune
De ton charmant lit,

Je prête une oreille gentille,
Pour que sous la lune
Le sommeil cache tes babils.

Demain il faudra se lever tôt
Pour une journée Espéranto !

Le long de mes joues

Le long de mes joues
Coule
Le poids du passé.

Une larme s'échoue,
Saoule
Du présent encrassé.

Tout s'enfuit en bout,
Boule
Dans ma gorge nouée.

Quand mon cœur dissout
Croule,
Battant que par brassée,

De nouveau je suis seule,
Incomprise, délaissée,
Mais plutôt cet épagneul,
Que ta trahison fricassée !

Le petit champ fleuri

Le petit champ fleuri
De belles marguerites,
Lentement palpite
Sous la grande féerie
De la bise si douce.

Dans la vaste prairie,
Je hume et gravite
Toutes ces stalagmites,
Cherchant l'allégorie
D'un petit coin en pouce.

Là, je pose en starie
Allongée et médite,
Les grands yeux en orbite
Emplis de flânerie
Vers les cieux qui gloussent.

Qu'il fait bon rêvasser
Et souvent ressasser
Ses pensées délacées
En Nature rosacée
Qu'à la vie cuirassée.

L'échinops

Les atours de tes épines
Ont quelque chose de charmant
Quand tes yeux en guillotine
Lancent des éclairs désarmants.

Tes paroles assassines
Me chagrinant ont le piquant
De l'échinops brillantine
Aux airs supérieurs élégants.

Nul ne peut te cueillir
Sans en payer le prix.
Seul un fou peut s'enhardir
En y laissant un doigt aigri.

Chère Althéa

Mes sentiments pour vous,
Chère Althéa,
Sont aussi tendres que doux
Sur l'alinéa
De mon cœur.

Sa blancheur en froufrou
Sert de nymphéa
À mes regards d'acajou
Aux aléas
Enchanteurs.

Le brillant de ses joues
Sur l'épicéa
Pose des jalons en moue
Aux lauréats
Chahuteurs.

Je me mets au garde-à-vous,
J'en suis béat
Sous les lois de ses bijoux
En méats
Chuchoteurs.

Que sa corolle est belle
À cette demoiselle !

Ma muse s'est enfuie

Ma muse s'est enfuie !
Elle m'a laissé
Un soir d'été
Me quittant sous la pluie.

Sa blancheur qui reluit
M'a bien froissé,
Tel un papier
Tout crissant sous l'ennui.

Son doux saphir aux fruits
Embarrassés,
Sur la jetée
M'a plongé dans la suie.

Sous la loi de son bruit
Se fleurissait,
Ornementé,
Un espoir dans la nuit.

Mais c'est fini, je suis celui
Qu'elle a quitté sous la pluie.
Mon crayon pleure, mais pour l'heure,
Sous tous les cieux, je la suis,
Car grâce à elle, sous sa margelle,
Je vous parle… à l'infini…

Quand l'amour s'est sauvé

Quand l'amour s'est sauvé, le long des tristes plaines,
Mes yeux ont parcouru les fleuves endormis
Où se voient les couleurs de tulipes sereines,
Près d'oiseaux tout joyeux, enclins au compromis.

S'inondaient sur mes joues trois cent mille fontaines
Pendant que, de mes maux, ces heureux insoumis
Souriaient aux abois, calmant mes grandes peines
En chantant vivement : « Nul chagrin n'est permis. »

J'affirme, sans mentir, le souci qui me ronge,
L'apprêt de vos atours balaye dans un songe
Les tracas ingénus de ce cœur si secret.

Je partirai, ce soir, vers la très grande ville,
Oubliant vos éclats sur des murs sans attrait,
Cultivant mon jardin dont le passé s'exile.

Table des matières

Achevé d'imprimer en France
Protection IDDN